SIWTCES

Mam-gu

Mae'r cyhoeddwr yn cydnabod cymorth ariannol Cyngor Llyfrau Cymru

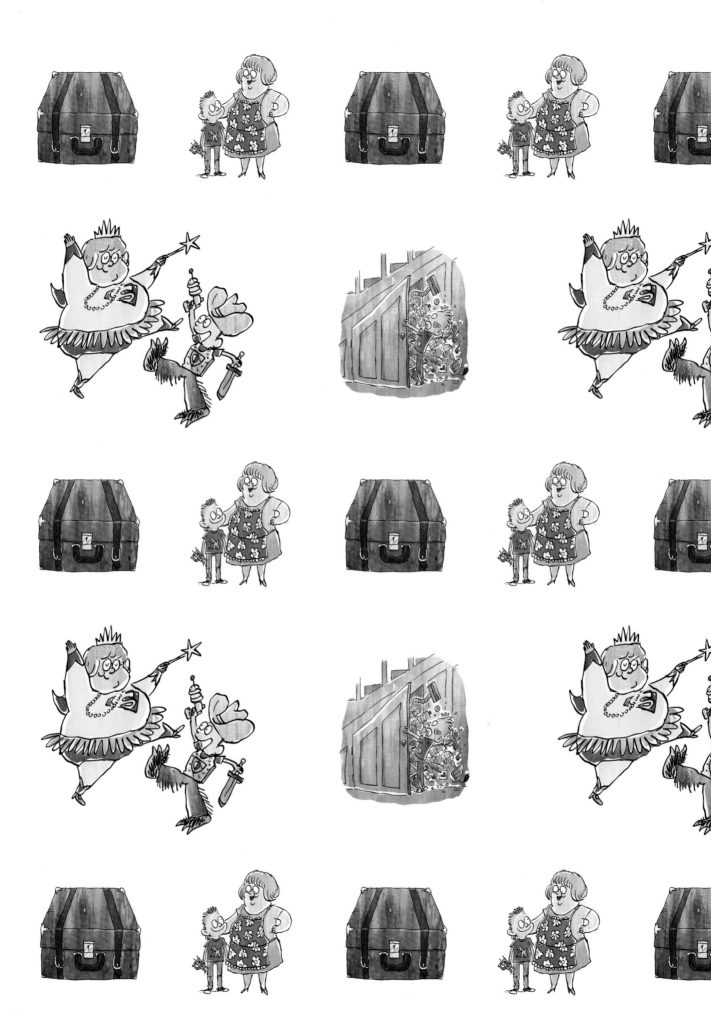

Ysgrifennwyd gyda:

Leanne Williams	Hayley Jenkins
Claire Phillips	Toni Davis
Caroline Clear	Mary Hill
Alyson Powell	Katie Price
Kokila Suresh Kumar	Jane Grandon
Michelle Lewis	

Awdur:

Mike Church

Darluniau gan:

Huw Aaron

Dyluniwyd gan:

David Ganderton

Addasiad gan:

Anwen Cullinane a Jaci Evans

Cynhyrchiad Y Rhwydwaith Rhieni

Mae cofnod catalog ar gyfer y llyfr hwn ar gael o'r Llyfrgell Brydeinig ISBN 978-1-9995973-8-2

Cyhoeddwyd gan Y Rhwydwaith Rhieni CCB 2015
Rhif Cofrestru'r Cwmni: 9725774
Hawlfraint Dylunio ac argraffu © Rhwydwaith Rhieni 2015
Hawlfraint y darluniadau © Huw Aaron 2015

Argraffwyd yng Nghymru.

SIWTCES
Mam-gu

Petra
PUBLISHING
Parents Engaging To Raise Aspirations

Roedd Joe yn dwlu aros gyda'i fam-gu.

Roedd ganddi wastad amser i chwarae.

Roedd hi'n darllen llyfrau iddo.

Byddai'r ddau ohonynt yn
gwisgo fyny mewn gwisgoedd ffansi.

Byddai'r ddau ohonynt yn pobi cacennau

a chwblhau jig-sos ar y llawr.

Byddent hefyd yn dringo mynyddoedd

a thaflu peli eira at ei gilydd ar y copa!

Un diwrnod daeth Joe adref o'r ysgol ac roedd rhywbeth yn bod.
Roedd yn glir oddi wrth y wep ar ei wyneb.

Roedd Mam-gu'n gwybod bod rhywbeth o'i le.

"Be sy, Joe?" gofynnodd Mam-gu.

"Dim, Mam-gu."

"Wel, mae yna storm ffyrnig ar y ffordd, achos mae dy wyneb yn edrych yn ffyrnig tu hwnt!

Dere 'ma i gael cwtsh ac i rannu beth sy'n bod gyda dy fam-gu."

Dringodd Joe i eistedd ar gôl ei fam-gu a dechreuodd grio. "Dyna ni," dywedodd Mam-gu. "Gad ti'r holl beth i fynd."

Dywedodd Joe wrth ei fam-gu fod ei athro wedi
dweud nad oedd dychymyg ganddo.

"Beth?! Dim dychymyg o gwbl? Mae hynny'n ddifrifol.
Mae gan **bawb** ddychymyg," meddai Mam-gu.

"Oni bai amdanaf i!" criodd Joe.

"Mae'n rhaid dy fod wedi ei golli, efallai dy fod wedi
ei roi rhywle yn y tŷ," meddai Mam-gu.

Meddyliodd Mam-gu am eiliad a dywedodd wrth Joe:

"Dwi'n gwybod, beth am fynd ar helfa drysor i
weld os allwn ni ddod o hyd i dy ddychymyg!
Dydyn ni heb gael helfa drysor ers amser maith."

Daeth gwên i wyneb Joe ac i ffwrdd â nhw.
Edrychon nhw ym mhob man am ei ddychymyg.

Edrychon nhw yn y cypyrddau.

O dan y grisiau ...

yn y sied yn yr ardd

o dan gadair Mam-gu

yn y bocs teganau

... ac yn yr oergell, hyd yn oed!

Aeth y ddau ohonynt lan llofft i edrych yn yr ystafelloedd gwely ac o dan y gwelyau, ond doedd dim sôn yn un man am ddychymyg Joe.

"O Mam-gu, beth ydw i'n mynd i'w wneud?" gofynnodd Joe.

"Os na fydda i'n dod o hyd iddo ga i bryd o dafod.
Mae gan yr holl blant eraill ddychymyg, dwi'n sicr.
Ble mae fy nychymyg i?"

"Wel, mae un lle ar ôl i ni chwilio," dywedodd Mam-gu. Edrychodd Mam-gu i fyny a dweud, "Yr atig amdani!"

"Ond Mam-gu, beth am y bwci bos?"

"Ti'n iawn," dywedodd Mam-gu.

"Ond s'dim bwci bos yn bodoli heb ddychymyg, felly
mae'n rhaid mae dyna le mae o! Ta beth, os oes bwci bos
yn bodoli bydd rhaid i ni ddechrau chwerthin.
S'dim byd yn ofnus os wyt ti'n chwerthin!"

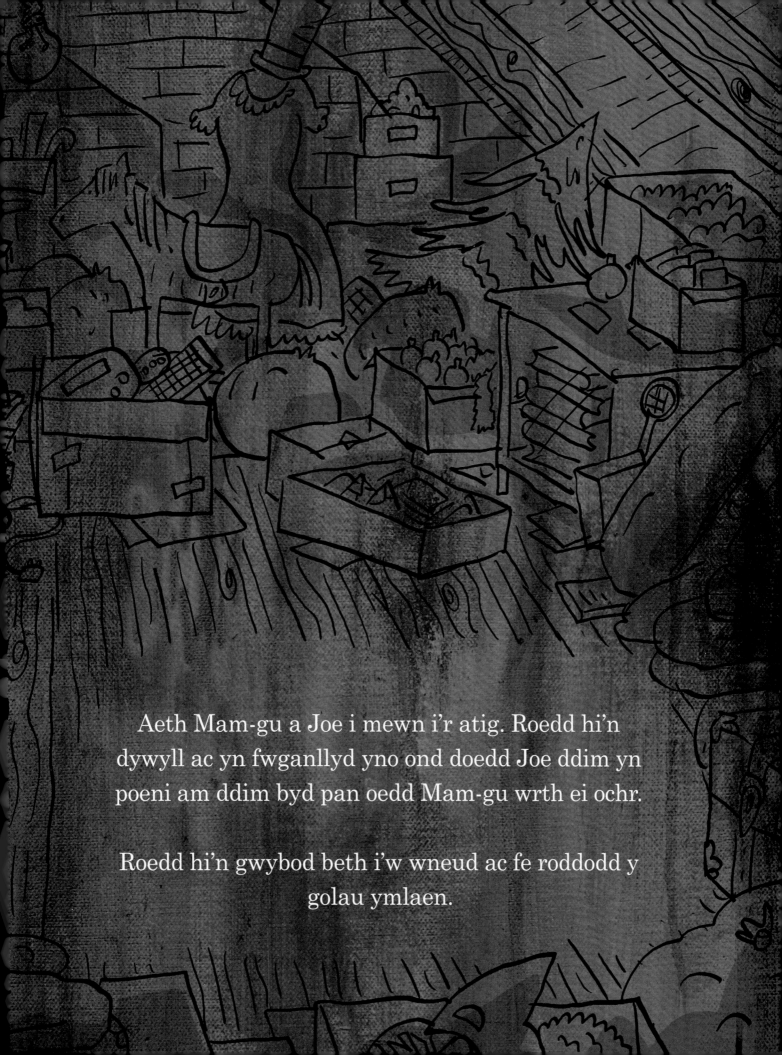

Aeth Mam-gu a Joe i mewn i'r atig. Roedd hi'n
dywyll ac yn fwganllyd yno ond doedd Joe ddim yn
poeni am ddim byd pan oedd Mam-gu wrth ei ochr.

Roedd hi'n gwybod beth i'w wneud ac fe roddodd y
golau ymlaen.

Daethant o hyd i hen sgidiau a gwisg Dad-cu,
ac oddi tanynt roedd yna hen siwtces.

"Waw!" dywedodd Joe yn llawn cyffro.

"Edrych ar hwn ... Beth sydd tu mewn, Mam-gu?"

"Wel, dwi ddim yn sicr os yw'r allwedd gen i,"
dywedodd Mam-gu, "felly beth am i ni ddyfalu beth
sydd tu mewn iddo?"

"Efallai bod siwtces arall tu fewn iddo?" holodd Joe.

"Neu hen het filwrol Dad-cu?"

"Neu'r holl hosanau coll o'r peiriant golchi!" chwarddodd Joe.

"Wel dyna syniad hyfryd, dwi byth yn gallu dod o hyd iddynt," atebodd Mam-gu.

"Efallai bod yna gae o falws melys
yn chwythu yn y gwynt?"

"Neu beth am lot o chwerthin a hwyl!"

Dechreuodd Joe a'i fam-gu chwerthin yn ddi-stop.

"Wel, Joe, ti'n llawn syniadau da," dywedodd
Mam-gu. "Unrhyw beth arall?"

"Wel ... beth am damaid o lwc ... neu eliffant
mewn twtw sy'n dawnsio bale – neu beth os wnawn
ni ddarganfod diwedd yr enfys?"

"Tybed beth sydd tu mewn? Trueni nad oes
gennym yr allwedd i'w agor!"
"Wel am lwc," gwichiodd Mam-gu. "Edrych, roedd
yr allwedd yn fy mhoced yr holl amser!"

Yn araf, agorodd y ddau gaead yr hen siwtces ...

ac

roedd

e'n

gwbl

wag.

"O Mam-gu, does dim byd ynddo!"

"Ond ti wedi anghofio, Joe," dywedodd Mam-gu.
"Dwi'n credu ein bod ni wedi dod o hyd i dy ddychymyg –
roedd e yn yr hen siwtces yr holl amser. Dwi erioed wedi
clywed syniadau mor hyfryd yn fy mywyd!"

"Mam-gu ... ydy fy nychymyg 'nôl?" holodd Joe.

Gwnaeth y ddau ohonynt disian oherwydd yr holl lwch, a dechrau chwerthin unwaith eto.